Дейвид Уолямс

ПРЕДСТАВЯ...

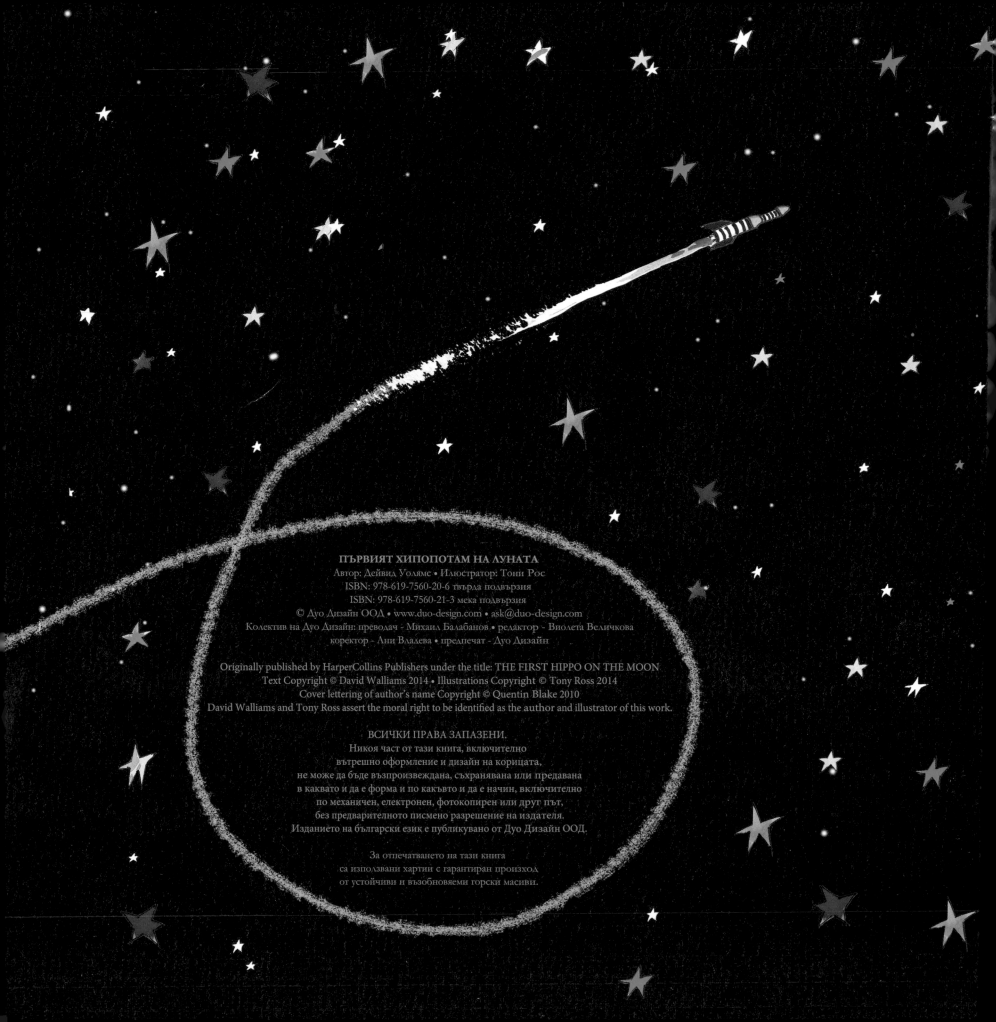

ПЪРВИЯТ ХИПОПОТАМ НА ЛУНАТА
Автор: Дейвид Уолямс • Илюстратор: Тони Рос
ISBN: 978-619-7560-20-6 твърда подвързия
ISBN: 978-619-7560-21-3 мека подвързия
© Дуо Дизайн ООД • www.duo-design.com • ask@duo-design.com
Колектив на Дуо Дизайн: преводач - Михаил Балабанов • редактор - Виолета Величкова
коректор - Ани Владева • предпечат - Дуо Дизайн

Originally published by HarperCollins Publishers under the title: THE FIRST HIPPO ON THE MOON
Text Copyright © David Walliams 2014 • Illustrations Copyright © Tony Ross 2014
Cover lettering of author's name Copyright © Quentin Blake 2010
David Walliams and Tony Ross assert the moral right to be identified as the author and illustrator of this work.

Тази книга принадлежи на:
Тази книга е моя.
Всъщност е моя, скъпа!

ПЪРВИЯТ
ХИПОПОТАМ
на
ЛУНАТА

Илюстрации в богатата палитра
на **Тони Рос**

ДУО ДИЗАЙН

Това е история за **два хипопотама**. Два хипопотама с **еднаква мечта**.

Всеки искаше да бъде **първият хипопотам** на **Луната**.

Един невероятно богат хипопотам – Херкулес Уолдорф-Франклин III, плати за построяването на ГИГАНТСКИ хипокосмодрум, от който да излети.

Шийла **не направи** така. Да, името на другия хипопотам беше Шийла. Една сутрин тя обяви...

Искам да бъда **първият** **ХИПОПОТАМ** на **Луната!**

— Но, Шийла... — каза нейният приятел, жирафът. — Ти нямаш **космическа ракета.**

— Тогава ще **направим, Кийт!** — отвърна Шийла.

Да, жирафът се казваше Кийт.

— Ние, хипопотамите, обичаме да **мечтаем смело!**

Горилата Джойс довлече **най-дългата лиана.**

А на щрауса Дерек се падна да събере **най-миризливата планина** от носорожки **тор.**

След **МНОГО** дни и нощи животните най-сетне **показаха** своята **космическа ракета...**

Но преди Шийла да каже „старт", заваля дъжд.

И валя. И валя. И валя. Настъпил бе дъждовният сезон.
Не спря да вали цели пет месеца.

В мига, щом дъждът спря,
Шийла започна обратното
броене ОТНОВО.

Три!
Две!
Едно!
Ииии...
Старт!

МЕЧТАЙ СМЕЛО

Фиуууууууууууууууу!!!

Хипо-по-ракетата
се стрелна
към небето!

Хипопотамката гледаше как Земята
се смалява ли, смалява,
а Луната става все
по-голяма
и ПО-ГОЛЯМА.

Но в

ОТКРИТИЯ КОСМОС

я сполетя

беда...

Шийла толкова се беше улисала да хрупа сандвичите си от листа, че не забеляза какво се **НОСИ** към нея.

Гигантски астероид.

БУУМ!

Хипо-по-ракетата се разби на стотици парченца, а изплашената хипопотамка се завъртя лудешки през космоса. Тя се запремята към Лунната.

За свое изумление Шийла падна право върху другия хипопотам точно когато той щеше да направи своята първа хипо-по-стъпка на повърхността на Луната.

С насълзени очи Шийла повлече крака към хипо-по-ракетата.

Смелата ѝ мечта беше **съкрушена**.

След няколко секунди Шийла осъзна, че **няма представа** как работи хипо-по-ракетата.

Когато навлезе в земната атмосфера, хипо-по-ракетата скоро започна да изгаря. В следващия миг **задникът** на хипопотамката пламна като слънце.

Шийла се
удари
в земята
с
ОГЛУШИТЕЛЕН

ГРОХОТ!

Тя лежеше неподвижно,
а обемистите ѝ задни части цвърчаха като наденичка.

Но тя **не се** събуждаше.
Това беше **най-тъжният** ден, който джунглата бе **преживявала**.

После сред тишината се разнесе звук.

ПППпп...ПППпп...фффффффффтттттт!

Характерният звук на **изпуснати газове**. Всички животни се спогледаха. Кой си позволяваше **да пръцка** в такъв печален момент?

Тя така и не спомена за другия хипопотам, който се бе добрал дотам първи.

Затова, каквото и да правите, МОЛЯ ВИ, не казвайте на никого.

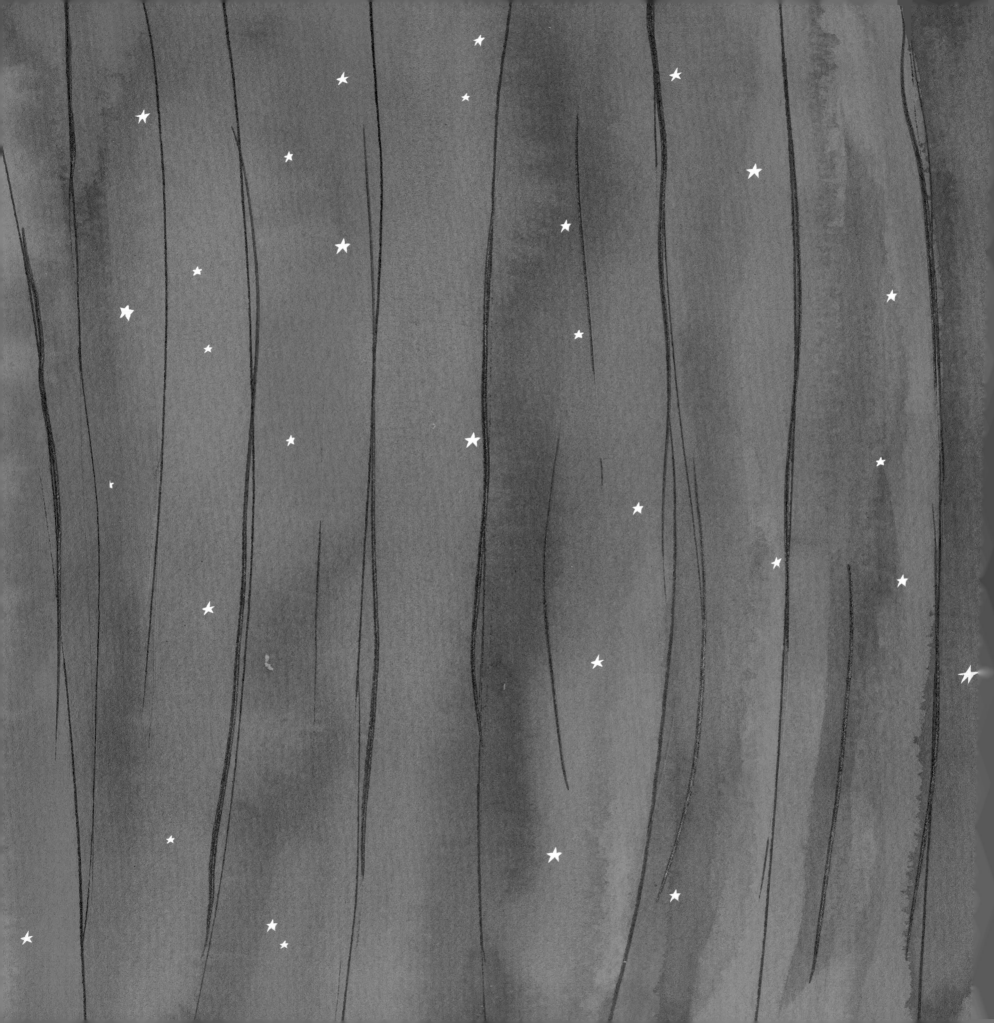